Laurence T.

Le chant du dragon

Avec tout mon amour,

pour Harriet, la véritable Hattie B,

Annie, Natasha et Zac.

Ce texte a initialement paru en langue anglaise,
chez Penguin Books Ltd, Londres,
sous le titre « Hattie B, Magical Vet: The Dragon's Song »,
écrit par Claire Taylor-Smith. © Puffin 2014
Illustrations de Lorena Alvarez. © Penguin Books Limited 2014

© Hachette Livre, 2014 pour la présente édition.
Traduction : Natacha Godeau.
Conception graphique : Audrey Thierry.

Hachette Livre, 43, quai de Grenelle, 75015 Paris.

Hattie Vétérinaire Magique

Le chant du dragon

hachette
JEUNESSE

Hattie

Les animaux, c'est sa passion !
Hattie a toujours rêvé d'être vétérinaire,
comme ses parents. Alors, le jour
où elle devient le Gardien
de Bellua, sa vie bascule.
Désormais, les créatures
enchantées du royaume
magique ont besoin d'elle !

Mythique

Sous ses écailles roses, la petite
dragonne cache un grand cœur.
Elle connaît Bellua comme
sa poche, et on peut compter sur elle,
même dans les situations les plus
périlleuses. C'est une véritable amie,
toujours prête à aider Hattie.

Le royaume magique

Les Monts
d'Hiver

La Grotte

La Vallée
des Gardiens

Le Vallon
des Dragons

Le Parc
des Lutins

L'Avenue de l'Elfe

La Rivière d'

Le Pré
des
Licornes

Le Verger
Enchanté

de Bellua

Le Volcan
Furieux

Le Pont
des Trolls

Le Bois
des Fées

La Cascade
Arc-en-Ciel

Le Désert
Antique

Le Lac
Caché

La Lagune
des Sirènes

Roi Ivar
Le Creux Royal

Lili Puce
Le Chêne aux Farfadets, deuxième racine à droite
Le royaume magique de Bellua

Lili,

Ça y est, mon plan génial se met en place : j'ai volé son pouvoir à une misérable créature de notre royaume magique ! En continuant comme ça, je deviendrai bientôt le Maître Absolu, et ce détestable Gardien ne pourra plus rien contre moi !
Ma Formidable Majesté te charge donc de l'empêcher de soigner les créatures du royaume. Accomplis ta mission, et le royaume tremblera enfin sous mon règne maléfique !
Même pour toi, ce sera un jeu d'enfant : le nouveau Gardien est une petite froussarde d'à peine dix ans. Ton bien-aimé souverain te déconseille d'échouer, Lili !

Roi Ivar,
Roi Suprême, Fabuleux (et Absolument Fascinant)
des Farfadets

Le pire anniversaire
du monde

Le soleil brille, ce samedi de mars. Le réveil sonne 8 heures, et Hattie se lève en vitesse. Elle enfile ses pantoufles lapin, sa robe de chambre dalmatien, et se précipite dans l'escalier.

– Oh là là ! Dire que j'ai dix ans aujourd'hui !

La fillette se réjouit : elle a même prévu une soirée pyjama avec son amie Chloé, pour fêter ça ! En attendant, elle se doute que sa famille lui a préparé de belles surprises : elle reçoit toujours des cadeaux en rapport avec sa passion des animaux. Chats, chiens, poneys, lapins… elle les aime tous !

Hattie court avec impatience au salon. Mais quelle déception ! Il n'y a aucun cadeau pour elle ici : ni sur le canapé ni près de la cheminée. Et, pire que tout, ses parents s'apprêtent à partir travailler… comme n'importe quel autre jour !

– Papa ? Maman ? Vous allez au cabinet vétérinaire ? s'étonne Hattie.

Elle croyait qu'au moins l'un d'entre eux resterait à la maison pour son anniversaire !

– Vous savez quel jour on est, au moins… ? ajoute-t-elle.

– Quelle question ! dit sa mère en nouant un foulard coloré autour de son cou. On est samedi, et on doit se dépêcher ou on arrivera en retard pour notre premier patient. On rentrera déjeuner. Si tu as besoin de quoi que ce soit, Peter est dans sa chambre.

Hattie grimace. Son frère est en pleine crise d'adolescence : il grogne, traîne au lit, et ne pensera sûrement pas à son anniversaire !

– Mais..., proteste-t-elle.

– Il n'y a pas de « mais », l'interrompt sa mère. Le temps presse. À tout à l'heure !

La porte se referme en claquant, et Hattie se retrouve seule dans le vestibule. Elle soupire.

– Cet anniversaire va être le plus horrible de toute ma vie !

Elle regagne le salon et décide d'appeler Chloé afin de tout lui raconter. Hélas, c'est sa mère qui répond.

– Chloé rend visite à son cousin, explique-t-elle. Elle sera absente tout le week-end.

Hattie en reste bouche bée. Et leur soirée pyjama, alors ?

— Vous vous verrez lundi, à l'école, reprend la mère de son amie. Au revoir, Hattie !

La fillette fronce les sourcils. Elle entend nettement quelqu'un pouffer, dans le téléphone. Elle reconnaît même la voix de Chloé… elle en est certaine ! Les larmes aux yeux, Hattie raccroche en tremblant. Chloé est sa meilleure amie, comment peut-elle la traiter ainsi ? Le jour de son anniversaire, en plus ! Pleurant de contrariété, Hattie se précipite dans sa chambre, s'assoit à son bureau et s'empare du papier à lettres orné de papillons que Grand-Mère lui a offert pour Noël. Puis elle sort un stylo de sa trousse brodée de chatons et commence à écrire avec colère :

Chloé,

*Mes parents ont oublié mon anniver-
saire, c'est déjà affreux. Mais maintenant,
c'est toi qui m'oublies ! Ta mère vient de
m'apprendre que tu ne serais même pas
là pour la soirée pyjama. Quand je pense
au temps qu'on a passé à la préparer ! Le
festin de minuit et le DVD qu'on devait
regarder ensemble... Je croyais que tu étais
ma meilleure amie. Sauf qu'une meilleure
amie n'oublierait jamais un jour aussi
important ! Je pense donc qu'en fait, on
n'est plus amies du tout.*

Ton ancienne meilleure amie,
Hattie

Elle plie la lettre avant de la glis-
ser dans une enveloppe. Tant pis
pour Chloé, elle l'a bien mérité !
D'ailleurs, Hattie décide de ne plus

jamais accorder sa confiance à personne. Plus ja-mais ! Cependant, au moment d'inscrire le nom et l'adresse de son ancienne amie sur l'enveloppe, elle hésite. Et si tout cela n'était qu'une terrible erreur ? Pourtant non : elle est sûre d'avoir entendu Chloé ricaner au téléphone. Elle a tellement de chagrin qu'une larme s'écrase sur l'enveloppe, délayant un peu l'encre dans le papier. Mais elle s'en fiche. Elle descend mettre la lettre sur la table de la cuisine, parmi le courrier à poster. Ensuite, elle renifle un bon coup et consulte la grosse horloge ronde, sur le mur. Il n'est même pas encore 9 heures !

– La matinée promet d'être longue, soupire la fillette.

Si tout le monde ne l'avait pas laissée tomber, elle serait en train d'ouvrir ses cadeaux d'anniversaire, au lieu de se morfondre... Hattie n'arrive toujours pas à y croire. Afin de se changer les idées, elle s'installe dans le canapé et s'apprête à feuilleter un magazine, quand quelqu'un frappe à la porte d'entrée.

– Hattie, va ouvrir ! crie Peter de l'étage supérieur.

La fillette bougonne. Son frère ne dort même pas ! Il est juste trop paresseux pour descendre. Elle va donc ouvrir... mais il n'y a personne dehors. Bizarre !

Elle commence à refermer la porte, lorsqu'elle aperçoit quelque chose, posé sur le paillasson...

Un mystérieux colis

Un colis ! Il est enveloppé à l'ancienne, dans du papier brun fermé par du Scotch et de la ficelle. Le nom de Hattie y est inscrit d'une belle écriture penchée. Un arc-en-ciel décore le timbre, dont les coins scintillent de paillettes. Hattie n'en a encore jamais vu de pareil. Qui a pu lui envoyer ce paquet ? Elle le ramasse pour l'inspecter de plus près, lorsqu'une voix moqueuse s'exclame :

– Hé, bonjour, Hattie ! Super, ta robe de chambre noire et blanche. Elle est assortie à tes cheveux !

Victoria Frost, la pire chipie de la classe, l'observe depuis la grille du jardin. Comme d'habitude, elle est tirée à quatre épingles, et porte aujourd'hui sa tenue de danse rose, ses cheveux blonds attachés en chignon. Jodie et Louisa, ses deux complices, l'accompagnent. Elles l'imitent en tout, s'habillent comme elle, et rient en chœur de ses méchancetés. Sans un mot, Hattie touche la mèche blanche qui traverse sa longue chevelure brune. C'est une particularité génétique qu'elle aime bien, car elle la rend spéciale. Mais Victoria l'embête toujours avec ça !

– Tu fais la grasse matinée ? continue

la peste. C'est ton anniversaire, pourtant, non ?

Elle grimace, puis regarde le jardin
d'un air méprisant.

– Moi, pour mon anniversaire, mes
parents ont décoré le jardin avec des
ballons roses. Ils m'ont organisé une
vraie fête, tout le monde savait que
j'étais la reine du jour.

Jodie et Louisa gloussent. Hattie
sent le rouge lui monter aux joues.

Heureusement, les pestes doivent aller à leur cours de danse et, ricanant toujours, s'éloignent enfin. Hattie se dépêche de claquer la porte d'entrée avant d'emporter le mystérieux colis dans sa chambre, où elle s'effondre sur son lit en pleurant. Cette Victoria lui tape sur les nerfs ! Si seulement Hattie arrivait à ignorer ses moqueries... Mais devant le paquet qui l'attend sagement, posé près d'elle, Hattie sèche finalement ses larmes.

Se redressant sur son lit, elle commence à dénouer la ficelle. C'est très difficile. Le colis a été empaqueté avec soin, bien serré, comme s'il renfermait quelque chose de précieux... Folle de curiosité, Hattie déchire ensuite le papier brun et découvre à l'intérieur une vieille sacoche en cuir marron tout craquelé. Un modèle ancien, comme celui qu'utilisaient autrefois les vétérinaires. Hattie essaie de l'ouvrir, mais la serrure est verrouillée.

Quel drôle de cadeau ! se dit la fillette, déçue.

Elle tourne et retourne la sacoche pour l'examiner, puis la dépose sur le parquet. Son cœur se met à battre à cent à l'heure : là, caché au creux du papier brun, un objet scintille. Hattie le ramasse avec précaution. Il s'agit d'un délicat bracelet en argent, avec une étoile de cristal en breloque.

– Qu'il est beau !

Hattie adore ce genre de bijou. En plus, ce bracelet lui semble

étrangement familier. Comme si elle l'avait déjà vu quelque part. Intriguée, elle cherche dans le papier d'emballage un petit mot de la part du destinataire... en vain. Impossible de savoir qui lui a envoyé ces cadeaux ! Elle enfile vite le joli bracelet et sourit, réconfortée que quelqu'un ait, en fin de compte, pensé à son anniversaire !

L'heure du déjeuner approche. Hattie est étendue tout habillée sur son lit défait, un paquet de bonbons vide à côté d'elle. Elle vient de regarder deux films en DVD. Son frère a refusé tout net de les voir avec elle, grognant à travers la porte de sa chambre que les films sur les animaux, c'était pour les fillettes. Hattie se lève pour éteindre la télévision, puis admire l'étoile de cristal qui se balance à son nouveau bracelet quand, soudain, celle-ci s'illumine d'un éclat doré. Elle est de plus en plus colorée... Du coin de l'œil, Hattie remarque que la

fermeture de la vieille sacoche en cuir brille de la même manière... Surprise, la fillette regarde la serrure de plus près. Elle est en forme d'étoile !

Autant tenter le coup ! songe Hattie.

Elle place avec précaution l'étoile de cristal à l'intérieur. Celle-ci s'insère comme la pièce manquante d'un puzzle. *Clic !* La sacoche s'ouvre en scintillant, le cuir tanné se teintant d'un reflet argenté. Puis deux lettres violettes apparaissent parmi les étincelles : H. B. Ses initiales : Hattie Bright ! La fillette écarquille les yeux, stupéfaite. Qu'est-ce que cela signifie ? Elle se penche sur la sacoche pour voir ce qu'elle renferme... et voici qu'une tornade invisible l'emporte !

Une rencontre enchantée

Hattie retombe durement sur un sol glacé. Elle n'a aucune idée d'où elle se trouve ni du temps qu'a duré son voyage mystérieux. Elle pourrait aussi bien être à l'autre bout du monde ! Elle se relève en frottant son derrière, endolori par la chute. Par terre, la vieille sacoche de vétérinaire scintille toujours. Hattie se garde bien d'y toucher, cette fois ! Autour d'elle, des parois rocailleuses indiquent qu'elle est dans une caverne. Elle n'a pas besoin de lampe pour y voir clair, car des milliers de cristaux incrustés dans la roche illuminent la grotte d'un halo enchanté. Il y a une note écrite à la main, scotchée sur l'une des parois :

« Je reviens dans cinq minutes. »

Oh là là ! Qui revient dans cinq minutes ? se demande Hattie.

Elle inspecte la caverne, dans l'espoir de comprendre où elle se trouve. Quelqu'un a creusé des étagères dans la paroi d'en face. Des fioles et des flacons de toute forme y sont alignés. Certains sont pleins d'une substance liquide colorée, d'autres sont couverts de fines toiles d'araignées, comme si on ne les avait pas utilisés depuis des

années. D'ailleurs, Hattie donnerait cher pour savoir à quoi ils servent ! Soudain, elle remarque un gros grimoire, posé en équilibre entre les fioles de la plus haute étagère. Il est relié de cuir rouge craquelé et semble très ancien. Il n'y a pas de titre sur la couverture mais une gravure stylisée en or vieilli. Hattie réfléchit :

Peut-être que ce livre renferme des informations sur cet endroit ? Peut-être qu'il explique comment retourner chez moi ?

Hélas, la fillette renonce à essayer de l'attraper. Elle a trop peur de casser des flacons au passage... et qui sait ce qu'ils contiennent ! Elle poursuit son exploration de la grotte. Une plaque de granit circulaire posée sur deux pierres, au milieu de la pièce, fait office de table. Sur un tabouret du même genre, juste à côté, Hattie aperçoit une boîte en verre remplie d'outils. Elle s'en approche et réprime un cri de stupeur en reconnaissant des instruments de médecine. Ils sont identiques à ceux de ses parents... sauf qu'ils sont tous faits d'un matériau scintillant !

Quel étrange cabinet vétérinaire ! pense-t-elle.

Elle cherche de nouveau autour d'elle un indice qui lui apprendrait où elle se trouve, quand une voix tonitruante s'exclame dans son dos :

– Ah, Hattie, enfin ! Sois la bienvenue !

La fillette se retourne en sursautant. Une silhouette familière vient d'entrer dans la caverne, par une étroite porte de bois, dans la paroi du

fond. Oncle Bright ! Hattie ne l'a pas revu depuis des années, mais elle le reconnaît immédiatement : il est le seul de la famille, à part elle, à avoir une mèche de cheveux blancs !

– Oncle Bright ! s'écrie-t-elle, ravie d'avoir un peu d'aide. Qu'est-ce que tu fais là ? Et où on est, d'abord ? Je ne comprends rien à ce qui se passe !

– Oui, j'imagine que tout cela te paraît bien mystérieux, répond-il.

Il lui tend une tasse fumante et ajoute :

– Je t'ai apporté de la tisane de lilas. C'est très apaisant. Les fleurs proviennent du Pré des Licornes. Bois, pendant que je t'explique tout...

La fillette obéit sans protester, même si elle doute de l'existence d'un « Pré des Licornes » ! Quoi qu'il en soit, la tisane de couleur mauve a un goût délicieux et un parfum réconfortant. Rien de mieux pour lui donner envie d'écouter calmement son oncle...

– C'est une longue histoire, Hattie. Tes parents t'ont bien dit que j'explorais le monde, afin d'en étudier les diverses civilisations ?

Elle hoche la tête.

– Je n'ai jamais pu leur dire la vérité, reprend-il. En fait, je suis lié au secret par un serment ancestral, comme tu l'es maintenant à ton tour. Je ne voyage pas à travers le monde, mais je suis le Gardien de ce royaume, Bellua, peuplé de licornes, de fées, de sirènes, de dragons, de trolls, de lutins...

– De quoi ?! l'interrompt Hattie, sidérée. Tu te sens bien, Oncle Bright ? Tu ne veux pas t'asseoir un instant ?

Il pouffe.

– Je ne suis pas fou ! Tu verras bientôt tout cela par toi-même... Mais laisse-moi d'abord finir. La principale mission du Gardien est de soigner les créatures enchantées et d'assurer la protection de leurs pouvoirs magiques. Cela fait plus de trente ans que je remplis cette fonction. J'ai commencé à ton âge, Hattie. Le peuple de Bellua me tient à présent en haute estime. Cependant, c'est un travail épuisant, et le moment est venu de me retirer. Place à la nouvelle génération !

– Qu'est-ce que j'ai à voir avec tout ça ? interroge la fillette, de plus en plus nerveuse.

– Les Gardiens appartiennent tous à notre famille, répond son oncle. Mais seuls ceux qui portent les marques de naissance sont élus. Il s'agit de la mèche blanche, dans nos cheveux, et de la tache étoilée, sur notre pommette. J'ai toujours su que tu serais le prochain Gardien de Bellua, Hattie.

La fillette effleure le minuscule grain de beauté en forme d'étoile, sur sa joue... Elle est troublée. Et si son oncle disait la vérité ? Si son destin était de devenir Gardien ? Elle voudrait lui poser mille questions, mais il ajoute aussitôt :

– Tu dois savoir que veiller sur le royaume n'est pas une tâche aisée, Hattie.

Il soupire avec inquiétude.

– Le Roi Ivar, le terrible Roi des Farfadets, menace le bonheur qui règne sur le royaume magique de Bellua. Il essaie par tous les moyens de voler les pouvoirs des créatures enchantées. Et c'est à toi de les protéger. Sois méfiante, car certaines d'entre elles sont en réalité du côté du Roi Ivar ! Il déteste les Gardiens, et rien ne l'arrêtera dans sa croisade contre toi.

Hattie a du mal à croire en cette histoire de méchant Roi des Farfadets. Pourtant, son oncle semble sérieux, et il s'est déjà passé tant de choses bizarres… Après tout, pourquoi pas ?

– Il te faudra être très prudente, au cours de tes voyages dans le royaume, poursuit son oncle. Mais tu découvriras des merveilles dont tu n'as pas idée !

Il l'entraîne vers une fenêtre, au fond de la caverne. Hattie regarde au-dehors et s'exclame :

– Oh !

Tout est tellement coloré, brillant, étincelant ! L'air lui-même semble scintiller gaiement !

– Voici Bellua ! lance son oncle. Je suis sûr que tu seras un Gardien à la hauteur, Hattie. D'ailleurs, ton premier patient devrait déjà être arrivé... Il s'agit de Mythique, une jeune dragonne. Grâce à une poudre ensorcelée, le Roi Ivar l'a fait éternuer jusqu'à ce qu'elle perde sa voix. Il la lui a volée, et quand un dragon n'a plus de voix, il ne peut plus cracher de feu.

– La pauvre, c'est affreux, Oncle Bright ! s'écrie Hattie.

– En effet, acquiesce-t-il. Mais tu vas lui rendre sa voix, je n'en doute pas. Le destin de Bellua est dorénavant entre tes mains.

La fillette s'affole.

– Comment faire pour retrouver la voix d'un dragon ? Je ne...

– Je dois m'en aller, coupe son oncle. Mes propres pouvoirs s'amenuisent. N'oublie surtout pas : personne ne

doit apprendre l'existence de Bellua.
Pas même tes parents. Mais tu te
débrouilleras très bien. À plus tard,
Hattie !

À ces mots, il se penche sur la
sacoche magique ouverte et disparaît, comme aspiré à l'intérieur !
Elle se referme alors, quand un petit

éternuement enroué s'échappe de sous la table ronde. Vite, la fillette jette un coup d'œil… et en reste muette de stupéfaction. Sous ses yeux se tient un minuscule dragon rose ! Mythique !

4

Le Grimoire Ancestral

La délicate créature enchantée fixe Hattie de ses immenses yeux sombres aux cils épais. Puis elle ouvre la gueule et pousse un cri rauque étouffé, suivi d'une bouffée de fumée grise. La fillette sursaute. Mythique essaie-t-elle de communiquer ? Décidant que le fragile animal ne peut guère être dangereux, Hattie s'approche du museau fumant en tendant l'oreille. Elle perçoit un vague murmure :

– Plus de voix, plus de feu…

Mythique veut que je la soigne ! devine la fillette, perplexe. Que faire ? Un dragon en détresse, cela n'a rien à voir avec les chatons, les chiots et les lapins dont ses parents s'occupent en général ! Tout à coup, Mythique déploie ses ailes et s'envole en direction de Hattie. Celle-ci s'écarte, apeurée. Mais la dragonne ne s'intéresse pas à elle. Elle s'élève jusqu'à la dernière étagère et désigne à grands coups d'ailes le gros livre à la couverture de cuir rouge. Elle redescend se poser sur la table de granit. La fillette soupire :

– Tu veux que je consulte ce vieux grimoire ? Désolée, mais je ne peux pas l'attraper. Je risquerais de faire tomber tous les flacons qui l'entourent !

À l'évidence, Mythique comprend Hattie. Elle s'envole de nouveau jusqu'à l'étagère où, avec précaution, elle déplace les fioles à l'aide de ses pattes griffues. Une fois l'accès au livre dégagé, elle se tourne vers Hattie, avec un air encourageant. La fillette se hisse alors sur la table, s'appuie d'une main sur l'étagère, puis attrape le grand grimoire de l'autre. Il pèse très lourd, mais elle réussit à le poser sur la table sans le lâcher. Elle remarque alors une serrure en forme d'étoile sur la couverture du livre. *La même serrure que celle de la sacoche de vétérinaire !* pense-t-elle.

Sans hésiter, elle introduit sa breloque de cristal à l'intérieur. Cette dernière se met à resplendir, et *cloc !*

Le grimoire est déverrouillé. Hattie
l'ouvre à la première page… qui est
totalement blanche. La fillette fronce
les sourcils, un peu déçue. Soudain, un
titre apparaît : *Grimoire Ancestral des Soins
et Remèdes Pour Créatures Enchantées*.

Fascinée, Hattie s'empresse de
feuilleter l'ouvrage. Chaque page est
couverte de dessins, de graphiques et

d'instructions concernant, non pas des chiens ou des chats, mais des licornes, des fées... et même un yéti. La fillette serait certaine d'avoir des hallucinations si un adorable petit dragon ne lisait pas, en ce moment même, par-dessus son épaule ! Bientôt, Hattie tombe sur un chapitre intitulé « Les Dragons ». Mythique frétille de joie devant la liste des différentes espèces énumérées. Il y a une illustration, qui lui ressemble trait pour trait. La légende s'inscrit peu à peu :

« Chassé pour ses précieuses écailles, ce spécimen doit préser-ver sa voix pour conserver son feu. Car, privé de son chant envoûtant, il ne peut plus endormir l'ennemi et devient ainsi une proie facile. »

Hattie comprend tout.

– Voilà pourquoi le Roi des Farfadets a volé ta voix, Mythique ! Grâce à elle, il pourra endormir ses adversaires... Cela lui fait une arme de plus contre les habitants de Bellua. Alors que toi, maintenant, tu n'as plus rien pour te défendre contre les chasseurs d'écailles...

La dragonne hoche tristement la tête. Son air malheureux rappelle à Hattie celui des animaux malades dans le cabinet vétérinaire de ses parents. Ayant l'habitude de les réconforter, elle essaie de rassurer Mythique.

– Ne t'inquiète pas, on va te rendre ta voix et ton feu. Tu verras, tout ira bien, je te le promets !

Sa détermination redonne aussitôt confiance à Mythique, qui semble enfin apaisée. Hattie sourit de satisfaction.

Peut-être qu'Oncle Bright a raison et que je serai un Gardien à la hauteur ! se réjouit-elle.

À condition que le Roi des Farfadets ne soit pas trop horrible !

5

Bellua

Hattie étudie les planches d'illustrations. Elles décrivent les maux communs dont souffrent les dragons : brûlure au museau, fracture d'une griffe, amputation de la queue... Le grimoire explique comment soigner tout cela. Hélas, il n'y a pas un mot sur le traitement de l'extinction de voix ! Déçue, la fillette s'apprête à refermer

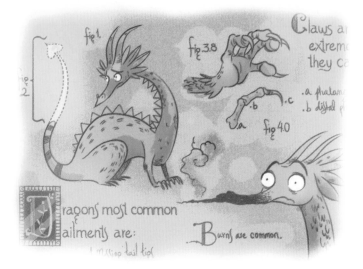

le livre, lorsque Mythique secoue ses ailes en signe de protestation.

– Non, je n'abandonne pas, la rassure Hattie. Je suis le Gardien, je vais te guérir, et Oncle Bright sera fier de moi !

En réalité, elle n'a aucune idée de ce qu'elle peut faire pour aider la petite dragonne. Mais celle-ci souffle déjà avec affection sur sa joue pour la remercier.

– Après tout… si tu connais ce livre et si tu es sûre que le remède s'y trouve, autant continuer les recherches ! décide alors Hattie.

Et elle recommence à feuilleter le grimoire. Une nouvelle illustration de dragon appartenant à l'espèce de Mythique apparaît. Une croix lui barre la gorge pour signifier qu'il n'a plus de voix. À côté, un autre dessin montre une fleur rouge plongée dans un flacon de liquide transparent. Puis, sur une dernière image, le dragon boit un breuvage écarlate, avec une mine soulagée.

– Une potion magique ! devine Hattie.

Vite, elle déchiffre les instructions :

Quelques pétales de Fleur de Soleil,
dans une bouillonnante Eau des Fées,

55

Rendront son feu et sa voix
au dragon rose devenu muet.

La fillette ne perd pas une seconde. Elle cherche les ingrédients sur les étagères et trouve rapidement une carafe étiquetée « Eau des Fées ». Mais elle ne trouve nulle part l'ingrédient « Fleur de Soleil ». Elle décide de reprendre sa lecture du grimoire, au cas où l'auteur donnerait quelque précision à ce sujet. Une devinette apparaît alors au bas de la page :

Que tes pas, sans peur,
te mènent au pic furieux,
Où s'épanouit la Fleur de Soleil
et de Feu.

Hattie se demande où peut se trouver ce pic furieux, lorsqu'une feuille volante s'échappe de l'ouvrage et se pose sur la table. Elle la ramasse, étonnée. Aussitôt, une carte détaillée de Bellua se dessine sur le papier. On y voit des prairies, des montagnes et des rivières portant des noms extraordinaires : le Pré des Licornes, le Bois des Fées, la Cascade Arc-en-Ciel... comme dans un livre de contes !

– Parfait ! s'exclame Hattie. Avec cette carte, je peux partir explorer le royaume !

Mythique voletant à côté d'elle, elle avance avec détermination vers une petite porte de bois. Elle la pousse, sort sur le perron... et s'immobilise, époustouflée : le royaume magique offre un spectacle merveilleux ! Un soleil resplendissant, des prés vert pomme à perte de vue, des collines parsemées de fleurs multicolores, des créatures enchantées qui virevoltent et gambadent de-ci, de-là : des licornes majestueuses, des fées espiègles, des lutins affairés... Hattie croit rêver !

– Je ne laisserai jamais personne, et surtout pas le Roi des Farfadets, venir troubler la paix de ce pays magnifique ! promet-elle.

Le bruissement du battement d'ailes de Mythique, au-dessus de sa tête, lui rappelle alors qu'elle a une

mission à remplir d'urgence : soigner la dragonne. Hattie s'efforce de détailler le paysage afin de se situer sur la carte. Elle repère un ruisseau miroitant, ainsi qu'une montagne enneigée, au loin. Elle pointe du doigt l'endroit qui semble correspondre, sur le plan, et murmure :

– La Vallée des Gardiens... C'est ça ?

Mythique acquiesce de la tête. La fillette lit le nom des autres lieux du royaume : la Rivière d'Argent, le Verger Enchanté, le Volcan Furieux...

– Le Volcan Furieux ! répète-t-elle sur un ton triomphant. C'est forcément le pic furieux qu'évoque la devinette du grimoire. Ce qui signifie, dit-elle à la dragonne, que je dois me rendre là-bas pour trouver la Fleur de Soleil qui te rendra ta voix !

Comme le temps presse, elle se met en chemin immédiatement. Et voici que Mythique se love sur ses épaules, s'enroulant autour de sa nuque. La mignonne dragonne veut l'accompagner, mais Hattie hésite. Mythique est affaiblie, et l'expédition risque d'être dangereuse... Mais elle connaît bien Bellua : son aide pourrait s'avérer très précieuse !

– Entendu, Mythique : on part ensemble !

D'ailleurs, Hattie est rassurée de ne pas s'aventurer seule dans ce royaume mystérieux. Elle prend la route d'un pas affirmé, bien décidée à accomplir au mieux son devoir de Gardien !

L'énigme des trolls

Le royaume de Bellua semble
irréel. Hattie a l'impression de se pro-
mener entre les pages d'un album
de contes de fées ! Passant sous une
arche en argent gravée de symboles
antiques, elle pénètre dans le Pré des
Licornes. Ces animaux légendaires
flânent autour d'elle parmi les fleurs,
c'est très impressionnant ! Certains,
minuscules, jouent à cache-cache

entre les brins d'herbe haute, ne montrant que la pointe de leur corne. D'autres, très grands, trottent avec grâce. Ils ont tous une belle crinière colorée, les plus majestueux ayant aussi une longue queue arc-en-ciel flottant au vent. Tout à coup, Hattie sent un souffle chaud lui chatouiller le cou. Elle pense que Mythique la taquine... mais elle sursaute en apercevant une immense licorne blanche, penchée sur elle. L'animal secoue sa crinière mauve et lance d'une voix mélodieuse :

– Tu portes la marque du Gardien. Comme j'ai autrefois accueilli ton oncle en notre royaume, je te souhaite donc, à toi aujourd'hui, la bienvenue. Je suis Themis, le chef des licornes de Bellua. Ta tâche ne sera pas aisée,

jeune Gardienne, car le Roi Ivar est un adversaire redoutable. Mais sache que le peuple des licornes sera toujours là pour te venir en aide.

– Mer... ci..., bredouille Hattie, intimidée par la splendeur de l'animal mythique. Celui-ci ajoute :

– J'ignore où tu vas ainsi, jeune Gardienne, mais permets-moi de te donner un conseil avisé : contourne le Bois des Fées. Les fées du royaume sont extrêmement malicieuses. Si tu ne veux pas être la proie de leurs mille et une facéties, évite-les à tout prix !

Sur ces paroles, la licorne s'incline noblement devant la fillette avant de rejoindre sa harde au triple galop. Hattie frissonne. Quelle rencontre fascinante !

– On dirait que notre expédition se complique, Mythique ! déplore-t-elle alors en consultant de nouveau la carte du royaume.

En effet : le chemin le plus court pour se rendre au Volcan Furieux traverse le Bois des Fées. Sinon il faut faire un détour par le Pont des Trolls... ce qui paraît encore pire à la fillette ! Soudain très effrayée, elle est sur le point de douter de ses capacités à protéger le royaume, quand Mythique désigne le Pont des Trolls, sur la carte, d'un geste insistant.

– Tu as raison, on n'a pas vraiment le choix, de toute façon..., soupire Hattie.

Et elle se met en route après avoir remercié le joli petit dragon. Sans ses encouragements, elle aurait abandonné sa quête ! Peu après, les deux amies longent la lisière du Bois des Fées en prenant garde de ne pas y entrer. Les arbres ont un feuillage touffu, variant du rouge-orangé au jaune-vert, et une multitude de fées phosphorescentes papillonnent de branche en branche. Elles apostrophent Hattie :

– Viens, approche ! On va bien s'amuser !

Elles volettent autour de la fillette et essaient de l'attirer en chuchotant de leurs petites voix aiguës. Mais malgré une très forte envie de suivre les fées, et devant la mine alarmée de Mythique, qui lui rappelle l'avertissement de la licorne, Hattie parvient à résister à la tentation...

Marchant d'un pas résolu, la fidèle dragonne juchée sur son épaule, Hattie finit par atteindre le pied du Volcan Furieux. Ouf, il était temps ! Il ne lui reste plus que quelques mètres à parcourir. Hélas, un pont se dresse à présent en travers du chemin,

`et six gros trolls à l'air hostile en inter-disent l'accès !

– Halte là ! beugle le plus petit d'entre d'eux.

Hattie se fige sur place, terrifiée. Son cœur bat à cent à l'heure.

– Seul le Gardien de Bellua a l'au-torisation d'emprunter le pont qui mène au volcan, poursuit le troll.

– Mais il ne pourra traverser qu'à condition d'avoir résolu notre énigme ! ajoute un autre troll, le plus massif du groupe.

Un troisième déroule un parchemin et entame la lecture :

– « *À toi de prouver que tu es*
le vrai Gardien de notre royaume
En dévoilant le joyau céleste
qu'il est le seul à posséder. »

Hattie fronce le nez, perplexe. Un joyau céleste, qu'est-ce que c'est ? Un diamant venu du ciel ? Mais il n'y a pas de diamants, dans le ciel ! Elle réfléchit à un moyen de traverser quand même le pont, quand Mythique se met à battre des ailes en lui indiquant son poignet. La fillette porte toujours son bracelet d'anniversaire... avec l'étoile de cristal !

Bien sûr ! songe-t-elle. *Le joyau céleste, c'est mon étoile scintillante !*

Elle lève le bras afin de montrer le bijou aux trolls... mais ils font « non » de la tête. Celui qui lisait reprend :

— « *Inutile de tenter de nous piéger*

L'étoile du Gardien n'est pas un objet. »

Hattie se vexe. Elle n'a jamais voulu piéger personne ! En tout cas, maintenant, elle doit trouver une autre étoile...

Mais oui ! pense-t-elle brusquement. *Comment n'ai-je pas compris plus tôt ?*

Et, soulevant une mèche de ses cheveux, elle découvre sa tache de naissance en forme d'étoile. Elle la frotte pour que les trolls constatent qu'elle ne s'efface pas. Le plus âgé d'entre eux, courbé par le poids des années, avance alors vers Hattie en grognant :

– Parfait, tu peux traverser notre pont, Gardienne. Et ton petit toutou-à-sa-maman aussi !

Mythique rougit, piquée au vif. Elle n'a rien d'un toutou-à-sa-maman !

– Cette dragonne est mon amie ! s'indigne Hattie.

Le vieux troll se contente de hausser les épaules. Puis les autres s'écartent afin de céder le passage à la fillette, qui hésite. Elle est toujours très en colère, à cause des méchantes remarques des trolls. Mais Mythique la tire par la manche en chuchotant de sa voix brisée :

– Fleur de Soleil... plus urgent...

Hattie approuve :

– Tu as raison, Mythique. Il faut te soigner avant tout !

Et, lui caressant le museau avec affection, elle se remet en route. Arrivée au pied du Volcan Furieux, la fillette lève les yeux vers le cratère fumant. Des braises ardentes rougeoient dans l'épaisse couche de cendre qui recouvre les flancs de la montagne brûlante...

La périlleuse ascension

Les baskets roses de Hattie s'enfoncent profondément dans la cendre épaisse. La fillette se demande si elle aura la force de parvenir au sommet du cratère, lorsque Mythique se met à survoler le terrain en éclaireur, afin de la guider sur la voie la plus praticable. La fumée âcre leur pique les yeux et la gorge. Hattie escalade tant bien que mal le flanc du volcan,

avançant d'un pas, puis glissant en arrière de deux. Elle est épuisée. Elle espère seulement que le Roi Ivar n'a rien à voir avec tous ces obstacles ! À mi-chemin du sommet, la fillette repère une corniche et décide d'y faire une pause.

— Arrêtons-nous un moment, Mythique. J'ai les jambes en coton. Et je parie que tu as des crampes aux ailes...

La dragonne accepte avec plaisir de s'asseoir auprès d'elle. Un peu de repos est bienvenu ! De cette altitude, le point de vue est sidérant. La splendeur du paysage émeut Hattie. Le royaume magique se déroule à ses pieds tel un tableau enchanté aux arcs-en-ciel multiples, aux étoiles apparentes en plein jour et aux prairies multicolores.

– Quelle merveille ! s'exclame-t-elle dans un souffle. Si ça se trouve, Oncle Bright lui-même n'est jamais monté aussi haut... J'ai hâte de lui décrire tout ça !

Puis elle se relève d'un bond.

– Il est temps de se remettre en route, Mythique. Courage !

Plus elles approchent du cratère, plus l'atmosphère devient étouffante. Heureusement, les battements d'ailes de Mythique agissent comme un éventail. Mais le sol fume, tremble et gronde de plus en plus fort... Angoissée, Hattie comprend pourquoi le volcan est qualifié de « Furieux », et elle croise les doigts pour qu'il n'entre pas brusquement en éruption ! À présent, des graviers de lave sèche se détachent sous ses semelles. Ils lui effleurent les chevilles en dévalant la pente, vers le bas du volcan. Deux ou trois fois, Hattie doit même sautiller sur le côté pour éviter des rochers qui l'auraient entraînée avec eux... Mais tandis que Mythique se pose un instant par terre pour éternuer, à cause de la cendre, Hattie voit un gros caillou rouler droit sur la dragonne. Elle l'alerte :

– Attention !

Malheureusement, Mythique ne l'entend pas, à cause de ses éternuements. Sans hésiter, la fillette se jette sur la dragonne, afin qu'elle ne soit pas écrasée par le rocher. Mais au passage, celui-ci lui écorche le dos de la main. Hattie en a les larmes aux yeux. Mythique se penche alors sur sa blessure.

– Mon tour... t'aider... amie, murmure-t-elle de sa voix cassée, presque inaudible.

Et voici que, de sa petite langue bleue, elle lèche délicatement la main de la fillette. En moins d'une minute, la plaie se referme, puis disparaît. Hattie n'en revient pas ! Mythique a un prodigieux pouvoir de guérison !

Elle lui caresse doucement la tête.

– Merci, Mythique, mon amie...
Allez, on va chercher ta Fleur de
Soleil !

Hattie s'est habituée au volcan.
Elle grimpe plus vite le long de la
paroi rocailleuse et parvient finalement à une vaste plaine, située juste
sous le cratère. La fillette pousse
un cri de joie en découvrant que
l'endroit abrite des centaines de fleurs
rouge vif. Même Mythique souffle un
petit nuage de fumée pour exprimer
son contentement.

– Je parie que ce sont des Fleurs de
Soleil ! lance Hattie en se penchant
pour en cueillir un bouquet.

Elle réalise tout à coup que les
fleurs ne sont pas toutes identiques :

pétales longs ou arrondis, pistil brun ou doré... Elle plisse le nez, perplexe.

– Comment savoir quelle est la bonne fleur ?

Elle interroge Mythique du regard. Mais la dragonne semble aussi perdue qu'elle. Hattie soupire. Elle ne peut quand même pas renoncer si près du but ! Elle essaie de se rappeler ce que la devinette du grimoire disait à ce sujet...

– « La Fleur de Soleil et de Feu », récite-t-elle. Voyons, qu'est-ce qui peut brûler comme le feu ?

Hattie se concentre. Soudain, elle claque des doigts et déclare :

– Mais oui ! Le piment brûle la bouche, bien sûr ! Tu dois goûter les fleurs, Mythique : la plus épicée sera celle qu'il nous faut !

La dragonne s'empresse d'obéir. Elle croque et mastique avec soin quelques pétales bien choisis... jusqu'à ce qu'elle tire sa fine langue fourchue en grimaçant. Aïe !

– Ça pique !

– Bravo, tu l'as trouvée ! la félicite Hattie.

Mais, à cet instant, le volcan se met à gronder et à trembler si violemment que la fillette en perd l'équilibre. Oh non ! Le cratère menace d'entrer en éruption ! Elle se dépêche de cueillir le plus de Fleurs de Soleil possible. La dragonne les lui désigne au fur et à mesure, si bien que Hattie rassemble bientôt un beau bouquet.

— Et maintenant, filons avant que le volcan ne se fâche pour de vrai, Mythique !

Une chose est sûre : elles redescendent beaucoup plus vite qu'elles ne sont montées ! Parfois même, la fillette ne court pas mais glisse sur le derrière en serrant les fleurs contre son cœur afin de ne pas en lâcher une seule. Et *boum !* Elle atterrit saine et sauve au pied du volcan... mais de nouveau nez à nez avec les trolls du pont !

Une solitude de glace

Hattie pousse un soupir : ouf ! Cette fois, les trolls la laissent passer sans l'obliger à résoudre une énigme. Finalement, ils ne sont pas si monstrueux que ça ! Elle traverse donc le pont en sens inverse avec Mythique, puis, de l'autre côté, la fillette consulte la carte de Bellua. Elle aimerait trouver un chemin plus court, pour le retour. Mais en évitant toujours soigneusement le Bois des Fées ! Elle réfléchit, quand une créature aux oreilles pointues et aux cheveux bleus s'approche en dansant.

— Lili Puce, pour te servir ! se présente-t-elle d'une voix chantante. Toi, tu es Hattie, n'est-ce pas ?

D'abord, la fillette grimace. Lili lui fait penser à cette chipie de Victoria ! Puis elle s'étonne : comment connaît-elle son nom ?

– J'ai souvent parlé avec ton oncle, tu sais, précise Lili. Tout le monde l'adore, au royaume enchanté. Il est si doué pour nous soigner !

Elle regarde le bouquet que Hattie tient dans les bras et s'écrie :

– Oh, des Fleurs de Soleil ! Je vois que ton oncle t'a appris ses remèdes secrets... Mais tu dois rapporter les fleurs à la caverne avant qu'elles ne fanent. Si tu veux, je peux t'indiquer un raccourci.

Hattie hoche la tête. En fait, Lili est mille fois plus gentille que Victoria ! La farfadette lui montre sur la carte quel chemin emprunter, puis elle repart en voletant gaiement, tandis que la fillette reprend sa route avec Mythique. Selon les instructions de Lili, elles gagnent l'Avenue de l'Elfe, et de là, le Parc des Lutins. Au bout du parc s'élèvent les Monts d'Hiver. En y parvenant, Hattie frissonne : quel contraste avec la chaleur du Volcan Furieux !

– Viens, Mythique, on y est presque, presse-t-elle son amie. Lili a dit de remonter le sentier de la montagne, et on tombera directement sur la caverne. Encore un effort !

Mais le chemin est long, très long. Beaucoup trop long ! Et plus elles avancent, plus le froid s'intensifie. À tel point que Hattie claque à présent des dents ! La dragonne, elle, ne semble pas aussi frigorifiée que la fillette. En revanche, elle ne cesse de regarder autour d'elle, avec une mine effrayée.

— Qu'y a-t-il ? interroge Hattie avec anxiété. On s'est trompées de route ?

Mythique secoue la tête. La fillette insiste :

— Eh bien, quoi, alors ? Tu crois que Lili nous a indiqué un mauvais chemin exprès ?

Son amie acquiesce tristement.

— Mais pourquoi a-t-elle fait cela ? regrette Hattie, déçue.

Elle réalise que Lili les a piégées. Elle s'en veut : elle n'aurait jamais dû lui accorder sa confiance aussi facilement.

— Qu'est-ce qu'on va devenir, Mythique ? gémit-elle en tremblant, glacée jusqu'aux os. On est perdues, et je ne peux plus faire le moindre pas... On ne va quand même pas geler ici ?

La dragonne la fixe d'un air grave. Soudain, elle s'envole en direction du sentier !

– Non, attends ! Ne m'abandonne pas ici ! panique Hattie.

Mythique s'immobilise un instant en plein vol. Elle se retourne vers la fillette, lui lance un regard appuyé, puis repart en vitesse.

– Je t'en prie, ne me laisse pas ! s'égosille Hattie.

Mais son amie disparaît déjà au loin, et la fillette s'écroule sur le chemin, complètement désespérée. Elle se roule en boule dans la neige, et les larmes lui montent aux yeux. Pourquoi tout le monde la trahit-il toujours ?

Ses parents, son frère, Chloé, et maintenant Mythique... Hattie sent le froid la paralyser. Bientôt, ses paupières se ferment malgré elle, et l'écho d'un ricanement cruel de farfadet résonne dans les Monts d'Hiver...

Quand elle rouvre les yeux, Hattie est plongée dans l'obscurité. Elle ne sait ni où elle est ni combien de temps elle a dormi. Une chose est sûre : elle n'a plus froid du tout. Au contraire ! Une douce chaleur l'enveloppe, et elle se sent en pleine forme. Elle s'assoit, et la lumière du jour revient tout à coup. À cet instant, les dragons qui l'entouraient pour la réchauffer s'écartent... Ils sont de toutes les tailles et de toutes les couleurs, et ils lui soufflent dessus avec délicatesse. Hattie voit aussi qu'elle porte un confortable manteau de fourrure. Mythique vient alors se poser sur son épaule. Elle tend une aile vers les autres dragons en toussant de sa petite voix brisée :

– Nos... amis...

La fillette est rassurée.

– Oh, Mythique, tu étais donc partie chercher du secours... Je suis tellement désolée d'avoir douté de toi !

Là-dessus, un immense dragon aux écailles écarlates intervient :

– Bonjour, Gardienne ! Si Mythique pouvait parler, elle t'expliquerait elle-même ce que j'ai à te dire.

La dragonne hoche la tête tandis que le grand dragon continue :

– On raconte que le Roi Ivar a ordonné à l'un de ses sujets, une farfadette, d'empêcher le nouveau Gardien de Bellua de nous proté-ger. Nous pensons que c'est elle que tu as rencontrée au pied du Volcan Furieux. Elle t'a indiqué le mauvais chemin dans le but de t'égarer dans les Monts d'Hiver. Elle voulait que tu sois paralysée par le froid afin de te dérober les Fleurs de Soleil. Ainsi, tu n'aurais pas pu guérir Mythique...

Hattie fronce les sourcils. Lili est vraiment très rusée !

Le grand dragon reprend :

– Ton oncle ne s'aventurait jamais dans les Monts d'Hiver sans son manteau de fourrure enchanté. Mythique a tout de suite compris que tu courais un grave danger. Elle ne t'a pas abandonnée, elle t'a laissée seule dans la montagne glacée le temps de venir nous chercher. Pendant qu'on te réchauffait, elle est allée à la caverne récupérer le manteau du Gardien. Elle t'a sauvé la vie, Gardienne. Et c'est un honneur pour nous, les dragons, de te venir en aide.

– Merci mille fois ! s'exclame Hattie. Et pardon, Mythique. Pardon mille fois aussi !

La dragonne pousse gentiment la

fillette du bout du museau. Elle ne lui en veut pas, évidemment !

– Tu sais, Gardienne, il faut apprendre à faire confiance à ceux qui t'aiment sincèrement, lui recommande encore le dragon avisé.

Là-dessus, il déploie ses ailes et décolle de la montagne en entraînant le groupe de dragons à sa suite.

Hattie rougit. Le grand dragon rouge a raison : elle n'aurait pas dû se fâcher si vite après sa famille. Elle aurait aussi mieux fait d'attendre un peu, avant d'écrire une lettre aussi méchante à Chloé... Après tout, peut-être qu'ils ont tous une excuse valable pour avoir oublié son anniversaire ?

Bon, pour le moment, le plus urgent, c'est de terminer ma mission et de rapporter

les Fleurs de Soleil pour soigner mon amie, décide Hattie.

Elle s'emmitoufle avec soin dans la fourrure.

– Tu peux me reconduire à la caverne, Mythique ?

La dragonne acquiesce. Elle guide la fillette à travers le dédale de sentiers enneigés qui sillonnent le flanc de la montagne... lorsqu'elles recroisent

Lili ! Elle est en train de pester dans son coin.

– Zut et flûte ! Ces misérables dragons ont gâché mon plan !

Hattie l'interpelle :

– Hé, Lili ! C'était nul, ce que tu as fait ! Tu devrais avoir honte !

– Et toi, avec une dragonne pour amie, tu ne te sens pas trop ridicule ? persifle la farfadette. Tu ne vis même pas à Bellua !

Hattie frissonne. Décidément, Lili ressemble beaucoup à Victoria ! La fillette a envie de pleurer. Mais Mythique, toujours sur ses épaules, se blottit avec affection contre son cou afin de la réconforter. La fillette se sent alors plus forte et réplique :

– En tout cas, moi, au moins, j'ai une amie !

Haussant les épaules d'un air boudeur, Lili décampe sans un mot. Fière de lui avoir tenu tête devant Mythique, Hattie reprend son chemin en souriant...

Le feu retrouvé

Après toutes ces péripéties, Hattie regagne la Vallée des Gardiens d'un pas plus assuré. Même les fées malicieuses renoncent à essayer de l'entraîner dans les bois ! Et quand elle arrive à la caverne, la fillette soupire, soulagée d'être enfin de retour. Elle se met sans tarder au travail et dépose son bouquet de Fleurs de Soleil sur la table avant de consulter le grimoire.

– « Quelques pétales de Fleurs de Soleil, dans une Eau des Fées bouillonnante », lit-elle. Parfait. Tu seras bientôt guérie, Mythique !

Hattie s'empare de la carafe d'Eau des Fées, qu'il n'y a plus qu'à faire bouillir ! Oui, mais comment ? Elle remarque alors un placard, creusé dans une paroi de la grotte. En tirant de toutes ses forces sur la porte de bois sculpté, elle découvre, à l'intérieur, une sorte de réchaud ancien. Il y a aussi un récipient à bec, une bougie et des allumettes. Pendant que la fillette dispose l'ensemble sur la table, Mythique virevolte joyeusement autour d'elle, impatiente de retrouver sa voix... et son feu !

– Patience, Mythique ! s'amuse Hattie. Je dois encore comprendre

le fonctionnement de ce vieux réchaud...

Elle feuillette le grimoire rouge et s'arrête sur une section titrée « Équipement du parfait Faiseur-de-sortilèges ». Une illustration, au bas de la page, montre comment allumer un réchaud du même modèle. La fillette suit les instructions à la lettre et, en moins de dix minutes, l'Eau des Fées bout enfin !

Hattie y plonge quelques pétales de Fleurs de Soleil. Instantanément, le liquide devient rouge vif. Le temps qu'il refroidisse, elle place avec précaution le reste des précieux pétales dans un flacon, qu'elle range sur l'une des étagères déjà chargées de fioles. Elle sourit fièrement : elle vient d'accomplir sa première mission de Gardien !

Mais pour avoir la certitude qu'elle est digne de prendre la succession de son oncle, il lui faut avant tout soigner la dragonne... Fouillant parmi les instruments de vétérinaire, elle s'empare d'un compte-gouttes et remplit la pipette de potion.

– Tu es prête, Mythique ? Ouvre bien grand la gueule !

Hattie est sur le point de verser le liquide sur sa langue quand des bruits de pas rageurs, dehors, suspendent son geste. Elle lève la tête, et au même instant, un éclair bleu fuse derrière la fenêtre. Lili ! Aucun doute possible : la fillette reconnaîtrait entre mille la tignasse bleue de la farfadette... Vite, Hattie court verrouiller la porte. C'était moins une : Lili tentait d'entrer en cachette ! Elle tempête :

– La prochaine fois, je t'aurai, Gardienne ! Par la couronne du Roi Ivar, tu ne t'en tireras pas comme ça !

– Pari tenu ! rétorque la fillette.

La farfadette s'éloigne en ronchonnant, et Hattie revient auprès de sa patiente.

– À nous deux, Mythique !

Elle s'empare de la pipette. La dragonne ouvre de nouveau grand la gueule, et Hattie y verse quelques gouttes de potion. Les effets sont spectaculaires ! Les joues de Mythique s'empourprent, comme si elle avait de la fièvre. Elle se met à tousser fort, très fort. Elle crache, elle postillonne.

D'énormes bouffées de fumée s'échappent de ses naseaux. Puis elle est prise d'un hoquet terrible... et un puissant jet de flammes surgit de son museau ! Hattie s'écarte juste à temps.

– Hourra ! Tu as récupéré ton feu !

– Et ma voix ! renchérit Mythique, folle de joie.

La fillette sourit. Quelle voix mélodieuse !

– Tu as réussi, Hattie, merci ! la félicite la dragonne. Mon peuple sera désormais toujours à tes côtés pour t'aider dans ton combat contre l'horrible Roi des Farfadets. Ensemble, nous protégerons Bellua, en veillant au bonheur de toutes les créatures enchantées qui y vivent !

Là-dessus, elle souffle un autre jet de flammes avant d'ajouter :

– Laisse-moi t'offrir ce petit cadeau en gage de ma reconnaissance...

– Oh non ! proteste la fillette. Je ne veux rien ! Tu es guérie, c'est tout ce qui compte !

Mais la dragonne l'ignore. Déjà, les flammes s'éteignent. La fumée se dissipe, et *cling !* Quelque chose de

brillant tombe aux pieds de Hattie. Elle le ramasse : il s'agit d'un joli petit dragon en cristal. Une breloque de la même taille que son étoile ! La fillette l'attache aussitôt à son bracelet. Puis elle serre Mythique contre son cœur, avant de réaliser soudain :

– Tu vas repartir vivre auprès des tiens, dans le Vallon des Dragons. Et moi, je vais devoir rentrer chez moi. Tu me manqueras beaucoup...

Elle essuie une larme en reniflant.

– Voyons, s'exclame Mythique, on ne se quitte pas tout à fait, Hattie : dès qu'une créature enchantée aura besoin de toi, tu arriveras ici par magie. Et chaque fois je serai là pour t'accueillir, car le royaume n'a plus aucun secret pour moi. Un bon guide

te sera très utile, surtout pour affronter le Roi Ivar et ses manigances !

La fillette pouffe, réconfortée. On dirait que Mythique s'est attachée à son nouveau Gardien, au moins autant qu'Hattie s'est attachée à la petite dragonne ! Seulement il reste un problème...

– L'ennui, Mythique, c'est qu'Oncle Bright ne m'a pas expliqué comment regagner mon monde... Tu sais comment on fait, toi ?

La dragonne sourit d'un air malicieux. Au lieu de répondre, elle se met à fredonner une berceuse. Hattie sent ses paupières se fermer. Elle s'allonge par terre, près de la vieille sacoche de vétérinaire. La tête posée sur ses bras croisés, elle sombre peu à peu dans un demi-sommeil. Et, comme au début de l'aventure, une tornade invisible l'emporte !

10

Une précieuse amitié

Hattie retombe sur son lit moelleux. Elle ouvre les yeux : sa chambre n'a pas changé d'un pouce depuis qu'elle s'est envolée pour Bellua. L'écran de télévision affiche encore le menu du DVD qu'elle venait de regarder. Les morceaux froissés du papier brun qui enveloppait la sacoche de vétérinaire sont éparpillés sur le parquet. Et la sacoche elle-même ne brille plus du tout !

Bellua, la caverne du Gardien, Mythique...Siçasetrouve,j'aiseulement rêvé! songe Hattie, abasourdie.

Elle aperçoit alors le petit dragon en cristal, qui se balance à son bracelet. Le visage de la fillette s'illumine. Tout était donc vrai ! Mais, dans ce cas, elle a dû être absente de longues heures... et ses parents doivent drôlement s'inquiéter !

MêmePetersedemandesûrementoùje suispassée, pense Hattie.

Vite, elle sort de sa chambre et se précipite dans l'escalier. Au même instant, ses parents pénètrent dans le vestibule, au bas des marches. Ils retirent leur manteau, et sa mère appelle :

– Les enfants ? On est rentrés !

Elle monte à l'étage et croise Hattie dans l'escalier.

– C'est l'heure de déjeuner, ma chérie, lance-t-elle.

La fillette fronce les sourcils. Il était déjà l'heure de déjeuner lorsque la tornade l'a emportée au royaume enchanté... Cela signifie donc que le temps ne passe pas pendant un voyage magique. Fantastique !

– Tu as paressé toute la matinée dans ta chambre ? s'étonne soudain sa mère. C'est la spécialité de Peter, ça. Pas la tienne !

– J'ai regardé des DVD, répond Hattie.

Elle ne parle surtout pas de Bellua. Oncle Bright a bien insisté : cela doit absolument rester secret. Et puis Hattie ne ment pas vraiment à sa mère... elle ne dit rien, voilà tout !

– C'est Chloé qui m'a prêté ces DVD, précise-t-elle. D'ailleurs, elle aussi, elle a oublié mon an...

Sa mère l'interrompt :

– Descends avec moi, ma chérie. Il y a quelque chose que j'aimerais te montrer.

Hattie la suit, pleine d'espoir. Ses parents lui ont peut-être rapporté un cadeau, finalement ? Elle pousse la porte du salon et...

– Surprise !

Hattie n'en revient pas ! Elle est aux anges : son père, son frère, Chloé, et même ses copines de classe... tout le monde est là pour son anniversaire ! Il y a des paquets un peu partout. Des ballons décorent la pièce, ainsi qu'une immense bannière « BON ANNIVERSAIRE, HATTIE ! » La fillette reconnaît l'écriture de Chloé. Son amie s'est donné beaucoup de mal pour elle !

– Je... je...

Hattie n'a pas le temps de terminer sa phrase. Sa mère arrive de la cuisine avec un merveilleux gâteau en forme de chaton, décoré de dix bougies à souffler !

– Oh là là ! C'est le plus bel anniversaire de toute ma vie ! s'écrie Hattie, émue. J'ai de la chance, d'avoir une famille et des amis aussi gentils !

Elle sait qu'elle a aussi rencontré une nouvelle amie, aujourd'hui : Mythique ! La dragonne l'a soignée avec tant d'affection, quand Hattie s'est blessé la main. Sans compter qu'elle l'a secourue dans les Monts d'Hiver ! La fillette comprend alors qu'il n'existe rien au monde de plus précieux qu'une réelle amitié. Une amitié sincère, où l'on ne doute jamais l'un de l'autre. Où la confiance est totale... *J'ai eu tort de soupçonner Chloé de m'avoir trahie*, se désole secrètement Hattie. *J'ai été injuste envers elle.*

Elle se tourne alors vers son amie et remarque à voix haute :

– Tu sais, Chloé, ta mère a un vrai don d'actrice ! J'ai vraiment cru que tu passais le week-end chez ton cousin...

– N'importe quoi ! glousse la fillette. Comme si je pouvais oublier l'anniversaire de ma meilleure amie !

À ces mots, Hattie se rappelle la lettre qu'elle a écrite à Chloé et signée : « Ton ancienne meilleure amie »...

– Excuse-moi une seconde, je vais juste chercher un verre d'eau ! bredouille-t-elle soudain.

Elle fonce dans la cuisine. *Ouf !* L'enveloppe est toujours là, en attente d'être postée ! Rouge de honte de s'être fâchée au point de vouloir envoyer une lettre aussi horrible, Hattie se dépêche de la déchirer et de jeter les morceaux dans la poubelle.

Puis elle retourne avec soulagement au salon.

– Et maintenant, ouvre tes cadeaux ! déclare son père.

Chloé bondit en avant.

– Commence par le mien !

Elle lui tend d'abord une petite carte : « Pour Hattie, de la part de sa meilleure amie pour la vie. »

Elle lui offre ensuite son cadeau. Hattie écarquille les yeux : il est

enveloppé d'un papier argenté parsemé de charmants petits dragons roses... La fillette sourit. Décidément, cette journée est extraordinaire ! Elle n'a plus qu'une hâte : retourner à Bellua pour revoir Mythique, son autre meilleure amie... et remplir auprès d'elle sa fantastique mission de Gardien !

Fin

Retrouve Hattie
dans une nouvelle aventure :

Le pouvoir de la licorne

Difficile de montrer ce qu'on sait faire à la piscine
quand Victoria, la peste de la classe, passe son temps à
se moquer de vous... Mais Hattie a d'autres soucis : sur Bellua,
une licorne malade l'appelle. Et pour la soigner, la fillette
est prête à braver tous les dangers... même Lili Puce,
la peste du royaume magique !

Pour tout connaître sur tes héros préférés, va sur le site :
www.bibliotheque-rose.com

publ

Vidéos

Coloriages

Jeux

Concours

WWW.**JEDESSINE**.COM
LE RENDEZ-VOUS DE TOUS LES ENFANTS !

Table

PAPIER À BASE DE FIBRES CERTIFIÉES

hachette s'engage pour l'environnement en réduisant l'empreinte carbone de ses livres. Celle de cet exemplaire est de : **500g éq. CO_2** Rendez-vous sur www.hachette-durable.fr

Photogravure Nord Compo - Villeneuve d'Ascq

Imprimé en Roumanie par G. Canale & C. S.A.
Dépôt légal : août 2014
Achevé d'imprimer : août 2014
39.7780.0/01 – ISBN 978-2-01-002384-2
Loi n° 49956 du 16 juillet 1949
sur les publications destinées à la jeunesse